国画训练新编

教你怎样画国画

——牡丹篇

田希丰
祁麟云 等绘

上海書店 出版社
SHANGHAI BOOKSTORE PUBLISHING HOUSE

图书在版编目（ＣＩＰ）数据

　　教你怎样画国画—牡丹篇／田希丰，祁麟云等绘.—上海：
上海书店出版社，2009.3
　　(国画训练新编系列)
　　ISBN 978-7-80678-993-4

　　Ⅰ．教...　Ⅱ.①田...　②祁...　Ⅲ．教－国画：牡丹
画－技法（美术）　Ⅳ．J212.27

　　中国版本图书馆 CIP 数据核字（2009）第 006474 号

教你怎样画国画—牡丹篇

绘　　者　　田希丰　祁麟云等

责任编辑　　包晨晖

技术编辑　　张伟群　丁　多

出　　版　　上海世纪出版股份有限公司
　　　　　　上海书店出版社

发　　行　　上海世纪出版股份有限公司发行中心

地　　址　　200001 上海福建中路 193 号

www.ewen.cc.　www.shsd.com.cn

经　　销　　全国各地书店

印　　刷　　上海精英彩色印务有限公司

版　　次　　2009 年 3 月第 1 版
　　　　　　2009 年 3 月第 1 次印刷

开　　本　　889 × 1194mm　16 开

印　　张　　10 印张

印　　数　　1－5000

书　　号　　ISBN 978－7－80678－993－4/J · 247

定　　价　　98.00 元

目 录

（图1）

一、花朵的结构

　　盛开的牡丹花朵硕大，直径一般有二十多厘米，最大的可达三十厘米。牡丹花瓣繁多，有大瓣，也有小瓣，往往是靠近心部的花瓣较小而外围的花瓣较大。可以把花瓣概括为内外两大层次，从整体上看内层如碗状，外层如盘状，内层比较紧密，外层比较松散，它的大形变化决定着整朵花头的优美与否，绘画时要着重注意外层边缘的姿态。外层花瓣的聚散变化使大体呈圆形的花朵边缘出现缺刻，有缺刻才显得活泼而不呆板。为了不使缺刻平均，必须丰富外层花瓣的形状，尽量避免其雷同。虽然以大瓣为主，但是在大瓣之间也要适当地夹杂一些小瓣。在追求变化的同时，不要把花瓣画散了，要使人感到所画的每一瓣都好象是从心部长出来的才好。整个花朵既使之参差错落，又使之不违背自然生长规律，合乎理法，才能楚楚动人。（图1）

1

二、花朵的画法

1、红色花画法

画红色花朵用朱红、大红、曙红这三种颜色，它们依次由明到暗，配伍而用。首先以朱红为主，稍加大红调成基本色，用中号羊毫笔蘸基本色后，笔尖蘸曙红色向下点画，形成最初的反瓣形象。（图2-1）

红色花画法之一

（图2-1）

红色花画法之二

点画花瓣时笔痕应有大小不等的变化，加画花瓣时每一笔都应由瓣根向瓣梢画去，使每一瓣都有向心感。（图2-2）

（图2-2）

点画花瓣时，要特别注意外形参差变化。画心部花瓣要多蘸曙红色，使花心部在整体上有深凹下去的感觉。（图2-3）

红色花画法之三

（图2-3）

整理完成后，用三绿色在花心部位画子房，用花青色在上端勾五笔向心短线。在子房周围用白色勾花丝，用白色加黄色点花蕊。此种花朵给人以喜庆热烈、浓艳富贵之感。（图2-4）

红色花画法之四

（图2-4）

2、黄色花画法

黄色本身明度较高，在白色的
宣纸上画黄花，对比较弱，为了突
出花头，在最初的几笔亮部反瓣中
加少量白色，笔尖蘸赭石与朱红的
调和色。落笔的方向虽然向心，也
要有变化。（图2-5）

黄色花画法之一

（图2-5）

黄色花画 法之二

继续如前法画花瓣，可以复
加和打破原来的花瓣外形，不必
刻意躲避原来的笔痕，用笔要宽
窄结合、长短相杂，富有节奏感。
（图2-6）

（图2-6）

随着花朵的进一步丰富，要注意花朵的整体动势，一般来说，完全端正的花朵显得死板。画黄花子房可用赭石蘸胭脂来画，既有对比又感到谐调。（图2-7）

黄色花画法之三

（图2-7）

一般来说，画黄色花朵不宜用黄色画花蕊，可用白色画，也可用胭脂色画，以取得突出的效果。黄花显得温暖柔和，能够表现出牡丹的雍容华贵之态。（图2-8）

黄色花画法之四

（图2-8）

3、蓝色花画法

画蓝色花时，先以白色为主加少许花青色调成淡蓝色，再调入少量的曙红作基本色。用蘸了基本色的毛笔去蘸花青色，由瓣根向瓣梢落笔。(图2-9)

(图2-9)

画蓝色花朵的色彩不可过于浓重，主要是在淡中求变化，一般来说先画反瓣更需要浅淡而滋润。(图2-10)

(图2-10)

如想追求丰富多变的花瓣形象，就必须在用色时中锋、侧锋、逆锋、拖笔等多种笔法并用，单一的点法，必然显得花瓣雷同。（图2-11）

蓝色花画法之三

图2-11）

画蓝色花朵的花蕊只用亮黄色点出即可，一般来说不宜画于房。画蓝色花朵还可以用石青色加白色来画，效果有所不同。蓝色给人以淡雅朴素、清爽平和的韵味，如枝叶配合不好，容易显得过于冷峻，初学者宜慎重对待。（图2-12）

蓝色花画法之四

（图2-12）

4、紫色花画法

在大量的白色中加入胭脂色和少量的花青色，调出淡紫色花朵的基本色彩。蘸基本色后笔锋蘸胭脂色，以侧锋笔法为主画出花瓣形态。(图2-13)

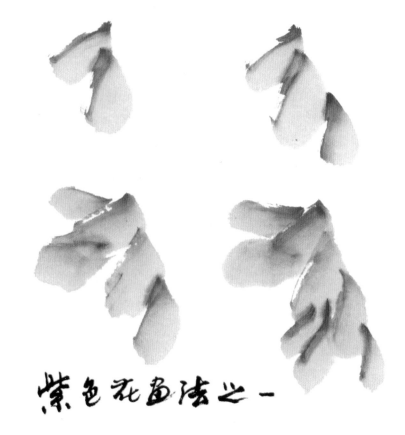

(图2-13)

用笔要错落有致、蕴含节奏感。画心部花瓣和外围大瓣时，基本色要变浓，强调花朵的整体感和立体感。(图2-14)

(图2-14)

大体画完后，要用浓重的胭脂再次提染花心部位的深度，并使心部花瓣更加丰富。（图2-15）

紫色花画法 之三

（图2-15）

点花蕊时注重其分布的合理性，在大致呈椭圆形花蕊范围内，要聚散合理、有疏有密。（图2-16）

紫色花画法 之四

（图2-16）

5、橙色花画法

以白色为主稀释后加入朱红色和少许大红色调匀成橙色花的基本色，笔尖再蘸曙红色，开始画花瓣。花瓣形态的变化主要取决于笔腹和笔根在画纸上的运行痕迹，或横或竖稍加改变，都会出现不同的效果。（图2－17）

（图2－17）

橙色花画法之一

一般情况下牡丹花的正瓣尤其是外围的正瓣都比较宽大，因此宜侧锋用笔，且色彩宜浓重。（图2－18）

橙色花画法 之二

（图2－18）

画花心部位的正瓣时基本色要变浓，即加入一些曙红色。决定外形的花瓣不可雷同，要有意留出一些比较大的缺刻，这样才能整体感觉生动。（图2-19）

橙色花画法之三

（图2-19）

点花蕊的笔法如同画竹的"人"字和"个"字用笔，在花瓣的缝隙中画出。（图2-20）

橙色花画法之四

（图2-20）

6、绿色花画法

绿色牡丹花颜色为浅绿色，其基本色以白为主加入草绿并加少许朱红调合而用。画时笔锋蘸少量草绿，从反瓣部位画起。（图2—21）

（图2—21）

点花瓣时要注意错位用笔，既不能象鱼鳞那样整齐，也不能同方向重复。要通过不同的笔痕去表现花瓣的优美形态。（图2—22）

（图2—22）

在大体完成一朵花后，要从整体上调整外形，局部还要用浓色点提。（图2-23）

绿色花画法之三

(图2-23)

画绿色花时用石青色画子房比较适合。需要顺便说明的是当一朵花露子房时花蕊就要相对整齐一些，能产生装饰性美感（图2-24）

绿色花画法之四

(图2-24)

7、深红花画法

用大红色加入少量曙红色成为基本色，以此色笔尖蘸胭脂色画花瓣。为了表现反瓣的纵向感，用笔要横拉，为进一步提高层次感做准备。（图2-25）

（图2-25）

当画到心部周围时，笔尖要多蘸胭脂色，落笔即显深色，与反瓣的明度对比强烈。（图2-26）

（图2-26）

画深红花朵时用笔要干净利落,尽可能地避免过多的重复用笔。如果在已画部位反复整理,极有可能产生画"糊"的不良效果。(图2-27)

深红花画法之三

(图2-27)

画此种色彩花朵的难点是色彩水份多寡的掌握。水份多了,色彩无重量感,水份少了,又容易显得干腻死板。只有水份恰当才能既见厚重又见滋润。解决的办法只有靠反复练习,才能取得经验,画出较为满意的效果。(图2-28)

深红花画法之四

(图2-28)

8、白色花画法

考虑到印刷效果，这套白色花画法过程图是在色纸上完成的。

白色花朵的暗部和花瓣根部大都呈现淡绿色彩，因此画白花之前要用草绿色加少许赭石和微量的水墨调出基本色备用。画时毛笔先蘸纯白色，再用笔尖蘸少量基本色点画瓣。（图2-29）

（图2-29）

在最初过程中，画法同基它颜色花朵的画法没有大的区别。（图2-30）

（图2-30）

当大致点画完花朵后，必须趁湿用绿色提染花心和其他暗部，再用纯白色强调亮部花瓣，如一遍不够，可以继续趁湿加白色，直到效果令人满意为止。（图2-31）

白色花画法之三

（图2-31）

前面已经介绍了绿色花朵画法，同白色花朵是有很大差别的，学画者可以比较一下。除了基本色不同外，用白色提亮花朵也是画白花的重要步骤。（图2-32）

白色花画法之四

（图2-32）

9、水墨花画法

宋元以来文人画家倡导水墨，用水墨代替色彩进行写意画创作是中国传统绘画的重要组成部分，具有独特的审美价值。由于水墨颗粒细微作于生宣纸上渗化十分强烈，所以用水墨画花卉较色彩为难。同画其它颜色的花朵一样先从花瓣的亮部入手，行笔速度略快。（图2-33）

（图2-33）

用笔果断、保持清新畅快的感觉，不要重复修改。（图2-34）

（图2-34）

画心部花瓣时笔尖蘸墨略浓，笔痕短促，外围大瓣要一挥而就，取得淋漓酣畅的效果。（图2-35）

水墨花墨法之三

（图2-35）

水墨花画法之四

可用石青、石绿、朱砂这些不透明的矿物颜色点花蕊。如追求纯水墨效果，可在花朵水墨干后用浓墨点花蕊。（图2-36）

（图2-36）

10、粉红花画法

用粉红色画牡丹色彩单纯、层次丰富、鲜艳靓丽，是最普遍使用的色彩。用白色加入曙红色调成较淡的粉红基本色，再用笔尖蘸曙红色点画花瓣。（图2-37）

（图2-37）

随着花形的逐步确立，笔尖所蘸的曙红色要逐步增加，使层次有更多的变化。（图2-38）

（图2-38）

粉红花画法之三

用笔蘸更浓一些的曙红色点提花朵的心部并调整大形，完成全朵。用浓墨绿画出花下两组叶子，用草绿色穿插嫩茎同时补画其他叶子，再画出木本老干。（图2-39）

（图2-39）

粉红花画法之四

（图2-40）

趁叶片未干时用较干的浓墨勾画叶脉。用草绿笔锋蘸胭脂色点出老干顶端的芽苞，最后用亮黄色画花蕊完成全幅。（图2-40）

三、花苞的画法

1、花苞与萼片的画法

花苞初长时较小，被大萼包围着，端尖如桃形，逐渐长大呈圆球状。画时不可太圆，应寻求圆而不圆的变化并着意一定的动势。笔腹色淡，笔锋色浓，从苞尖落笔，停于大萼之上，落笔即见明显的浓淡变化，三五笔即可完成。牡丹花萼分为两层，上层的五片大萼紧包花瓣根部，下层五六片小萼呈不规则带状围绕大萼下面。画时应以毛笔蘸草绿，再蘸胭脂色点画。（图3-1）

花苞与萼片画法示意图

（图3-1）

2、初放花朵的画法

初放花朵外瓣刚刚伸展，还在包心。画时请注意分清两大层次，反瓣较淡，正瓣较浓，要表现包心的特征。初放花朵的心部不要点过多的花蕊。（图3-2）

初放花朵
画法示意图

（图3-2）

四、叶子的画法

1、叶子的结构

　　牡丹叶为羽状复叶，互生，每品叶柄分三叉，每叉生三片叶子，统称三叉九顶。画叶要大笔铺毫、中侧锋并用。如果完全用中锋虽显厚重却易见形态雷同，完全用侧锋虽见形态俊俏却显浮薄，故应寓中锋于侧锋之中，既见厚重之质兼得俊俏之形。用笔要果断肯定，保留生辣的笔墨痕迹。（图4-1）

牡丹叶画法 兰

（图4-1）

2、画时过程

　　一片叶子大致用三四笔完成，中间两笔（也可一笔）合并为叶的主体，叶面宽大突出，决定方向，两侧各画一小笔为辅叶，随从主叶方向，尖端略向外。一片叶子不能单独出现，一般就以三叶为一组。叶子画完后，在将干未干时勾叶脉。勾叶脉用笔不能重复和修描，只能一次完成，要有疏密和虚实变化，不能象真叶脉那样均匀对待。叶脉用墨勾，用笔要干，用墨则根据叶片的浓淡来决定，浓叶用焦墨勾，灰叶用浓墨勾，淡叶用灰墨勾，总之叶脉要比叶片浓重一些。（图4-2）

（图4-2）

3、叶子的层次

画叶可完全用墨，也可以墨为主，以色为辅；还可以色为主，以墨为辅。主要用蘸墨法画叶，先用笔调淡一点的墨色，再用笔锋蘸浓墨色，落纸即见浓淡变化。虽然每一笔的墨色都应有变化，但是这个变化要服从总体变化，不能仅仅从一叶去孤立追求变化，以免显得破碎。要用墨色的浓淡反映和表达叶子的层次关系。一般来说前面（先画的）的叶子要浓重。后面的叶子略淡一些，这叫以淡托浓。还可以前面画淡叶子，后面画浓叶子，这叫以浓托淡。在一幅画里两种区别层次的画叶方法可以单独使用，也可以综合使用。（图4-3）

（图4-3）

4、嫩叶的画法

　　画花蕾周围的嫩叶时，先用毛笔调草绿色，再以笔锋蘸曙红或胭脂色，落笔即成绿中泛红的漂亮色彩，使新叶充满活力。勾叶脉可用胭脂色。（图4-4）

（图4-4）

五、枝干的画法

1、枝茎的画法

　　牡丹属于落叶灌木，干赭褐色，表皮粗糙，每年春天干端发芽，长出草本枝茎，茎上生叶，顶端生花。枝为草本（有的枝能保留到第二年，变为木本），干为木本，有明显的区别。画枝或色或墨要挺劲有力，忌柔弱，宜中锋用笔以显圆厚。要穿插得体，有密有疏。（图5-1）

（图5-1）

2、点写老干画法

　　画木本老干应体现苍老硬朗的神采，中侧锋并用，笔中含水量要小，显现干的特色，可以出现多处飞白效果，借以与花叶的滋润相对比，使整幅画面干湿交错，对比丰富。一般来说在画中支撑主枝主花的老干无论其粗细均为主干，对其结构转折、用笔变化、用墨浓淡均应强化处理，使之实；次要老干则宜画得结构松动，用笔变化略小，使之虚。画老干还要有聚散之分，前后之分，讲究穿插交破的变化，有的地方密集，有的地方疏散。(图5-2)

老干画法之一

(图5-2)

3、勾皴老干画法

除了前面讲的用纯墨或赭石墨直接点写画老干外，还可以用勾线和皴染的方法画老干。画时先用较干的笔法勾墨线，塑造老干大形，再用侧锋皴擦老干的结构和明暗关系，最后补染淡墨或淡赭石。

画完老干后，在其所有顶端处点芽苞，它虽小却很重要，不可不画。有两种芽苞，一种是老干长出枝条部位的芽苞，其形态由并拢变开裂，围在嫩茎基部；另一种是老干顶端未开裂的芽苞，其端尖如小桃。两种芽苞均可用草绿蘸胭脂色画，笔锋朝上，一笔或数笔点成。（图5-3）

（图5-3）

六、作品分析

1、墨分五色

　　画水墨牡丹要十分讲究干、湿、浓、淡、焦的变化。花头用墨在淡中求变化，叶子用墨在浓中求变化，花与叶总体浓淡有别，却都是比较湿润的效果。为了寻求干湿对比，在画石块时使用了枯墨渴笔的表现方法，既恰当地表现了石块坚硬粗糙的质感，又体现了墨分五色的韵味。（图6-1）

（图6-1）

2、线条洒脱

　　草勾是写意画中用线塑造形象的一种基本方法，适宜表现浅色的牡丹花头。应选用长锋毛笔作为草勾工具，蘸一两次墨即可完成一朵大花的草勾造型，用笔连贯，墨气畅通，中侧笔锋并用，宜毛糙不宜光滑，有虚有实，明确地显现用笔痕迹，一气呵成，洒脱活泼。(图6-2)

(图6-2)

3、浓淡相宜

　　画牡丹多取富贵立意，因而画红色花朵居多，此图用粉红和大红两种颜色画牡丹，以表达这种祝颂式的审美取向。粉红色花朵色彩明度较高，做为主花画在前面，大红色花朵色彩明度较低，画在后面，起衬托作用，一明一暗，一主一辅，各得其所，对比强烈而浓淡相宜。（图6-3）

（图6-3）

4、动静相生

有动有静，动静相生，是取的生动构图的常用对比方法。这幅作品左下部画了一大片水墨叶子，在叶子下面画了一大一小两朵牡丹花，叶子低垂，花也低垂，似有睡意，给人以寂静无声之感。与之成鲜明对比的是右上部的几只麻雀正喧叫在枝头。这一静一动的对比效果使画面情趣盎然，富有生机。(图6-4)

(图6-4)

5、呼应成趣

我们构思任何一幅作品都应该照顾到主体物象的呼应关系。这幅作品两朵下垂的牡丹花依靠在一起，与之呼应的是左上方的小花苞，它的存在使大花朵消除了孤立感觉，由此可见呼应关系的重要性。（图6-5）

（图6-5）

6、冷艳明快

西方绘画十分重视冷暖两大主色调的恰当运用，这方面值得中国画家研究借鉴。此图花头在曙红中含有石青色，呈现冷红的色彩倾向，且面积较大，给人以冷艳的感觉，暖色花蕊虽然对比强烈，但面积较小，使得整幅画面看上去对比而又谐调。（图6-6）

（图6-6）

7、气氛热烈

画牡丹多以富丽热烈为主调，用黄、红两种颜色画牡丹即是此意。黄牡丹花明度较高，画在前面，红牡丹花明度较低，画在后面，起衬托作用，两种颜色同属暖色，使画面呈现了十分浓艳热烈的气氛。图中墨叶起着重要的稳定作用，从中不难理解少画绿叶多画墨叶的重要意义。（图6-7）

（图6-7）

(图6-8)

8、开合有度

开合关系是中国画构图研究的一项重要内容，"开"是表示展开，"合"是表示迎合。具体地讲，开是最前面的大层次，画面的前奏和导引，属于宾体部分；和是第二大层次，是开的呼应和发展，往往是画中的主体部分。这幅画的牡丹是一开，为宾体，鸽子为一合，为主体，一开一合形成层次推进，展现了空间深度。（图6-8）

9、以叶树枝

海派大师任伯年画花卉时常常在复杂的枝干后面用浓重的墨色补画叶片，既增加层次感又使部分枝干明确而生动，值得我们学习。此图运用这种方法处理局部层次关系，取得了较好的效果。（图6-9）

(图6-9)

10、题款用印

　　题款和用印也是画面的重要组成部分，在适当的位置上题字如锦上添花，可为画面增辉。一般来说，繁密的构图题款直少，甚至只能署名；简约的构图题款宜多，起到丰富画面的作用。题款在上面，应上齐下不齐；题款在下面，应下齐上不齐，这都会起到照顾画面的作用。另外姓名印章往往需要与对角的压角章相呼应，以使画面更加稳定。（图6-10）

（图6-10）

11、金边银角

在花鸟画构图时必须充分认识画边和画角的重要作用，人们常说金边银角就是这个意思。一般来说四个角不能作为折枝花卉出枝的地方，四个边的中间也是如此。假如画面左边搭边，那么右边对应部位就应空边，同样，上下边处理方法相同。此图即精心处理了四个边的对应交搭，避免了四个角的拥挤，构图合理有序。(图6-11)

(图6-11)

12、祝颂美意

　　传统花鸟画经常以象征性动物和植物来表达一种对生活的美好祝愿，这就是祝颂式绘画。鸡谐音吉，牡丹则称富贵花，两者组成画面，富贵吉祥。此图表现的是一对家鸡在牡丹花下的草丛中悠然而卧的情景，两只鸡似在窃窃私语，具有浓厚的人情味，给人以美好的联想。(图6-12)

(图6-12)

13、纵横交错

　　花鸟画构图形式变化多端,而纵横变化就是其中之一。在这幅作品里,水仙花组成了纵的排列,有挺拔向上之态。牡丹花组成了横的动态,横向伸展,安详而舒适。这一纵一横的对比布局,重组了稳定与调和,画面多样而统一。(图6—13)

(图6—13)

14、活用色彩

画蓝色花朵时略带一点红味，看起来会更舒服一些。此图花朵的基本色是花青调白，再略加一点曙红色，画时毛笔蘸了基本色后，笔锋再蘸少许花青色，就出现了这种效果。（图6-14）

（图6-14）

15、纸暗花明

这幅白牡丹是在色纸上完成的，花朵凸现于画面，达到了突出主体的理想效果。为了强化花头的美感，在石绿色的子房周围用橘红色点出花蕊，从而在花心部位形成了小面积的色彩对比，画眼突出，有点睛之妙。（图6-15）

（图6-15）

16、主宾分明

　　无论画面大小，均应区别主宾，才能不花不乱，秩序井然。花为主体，也分别主宾，主体花朵位置居画面中央附近，突出而明确，宾体花朵被叶子遮住一部分，且位置偏颇，起陪衬作用；叶为宾体，也区别主次，浓重部分靠前，是为主叶，淡叶部分呼应，是为次叶。主宾分明，有争有让，才能和谐相处。(图6-16)

(图6-16)

17、大形优美

　　牡丹花朵造型生动与否是画面成败的关键之一，必须引起高度重视。花朵大形要舒展，团而不团，圆而不圆。在大体呈现圆球形态的前提下，其边缘应大小缺刻相杂，宽窄花瓣错落，长短花瓣参差，外形既不雷同又不整齐，且或大或小体现一定的斜势，这样的大形就会十分生动优美。(图6-17)

(图6-17)

18、通透有方

优秀的花鸟画构图总会给人以不闷不塞、通透有致的舒畅感觉。这幅作品通过花、枝、叶、石这些素材的巧妙组合，形成了疏与密的丰富变化，处处通透，各不雷同。尤其是把两只小鸟画在石块与牡丹的空隙处，既别开生面又充满情趣。（图6-18）

（图6-18）

19、滋润融洽

　　画牡丹花不能有干涩的感觉，要注意发挥生宣纸的涸润渗化效果，花朵的浓淡主要靠水份的调解，不能过多地依赖白色，一旦白色浓厚，行笔必然涩滞，腻而不畅，就要造成板结干燥的效果。水份加大以后行笔速度要快，趁湿迅速完成，才会使花瓣的色彩既分明清晰又滋润融洽。（图6-19）

（图6-19）

20、艳而不俗

　　画红牡丹鲜红如火，一旦配以绿叶，对比太强烈了，就会使人感觉俗气。为了使画面稳定而脱俗，就应该用水墨画叶子，这样才能压住火爆局面，取得视觉上的色彩平衡。当然，水墨画叶不能一味地浓重，有了黑白灰的变化画面不但艳而不俗，还会显得活泼生动。(图6-20)

(图6-20)

21、雅致平和

　　为了突显牡丹花富贵气象，许多画家喜欢用大红、朱红、粉红等红色类表现牡丹的靓丽神采，审美取向热烈而激昂。反之，不画红色花朵，只画兰、绿、白等颜色的花朵，那么画面就一定呈现淡雅清新的韵味。为了防止画面过于冷峻，也要有小面积的暖色加以调节，图中暖红的枝芽即发挥了这种巧妙的作用。(图6-21)

(图6-21)

22、大势统一

大势就是大局，大体的位置。审视一幅作品的成败，不仅要看表现技巧，更要看大体位置是否得当；这是全局观念。一般花鸟画决定大势的往往是枝干，画牡丹决定大势的除了枝干的动势以外，还有花头的动态。为了表现牡丹的生机与活力，大势不能过于平正，要有一定方向的斜势，花头、枝干、大组的叶子都要追随这个斜势，在统一中求变化，斜势中求均衡，使整幅画面活跃起来。（图6-22）

（图6-22）

23、疏密得当

　　疏与密是对立而又统一的矛盾体，在任何一幅传统绘画中无一例外地要处理好疏与密的关系。一幅作品既要讲究整体的疏密对比，也要追求局部的疏密对比。一朵花独立是疏，两朵花并拢是密，疏密市局得当与否对作品的成败至关重要。(图6-23)

(图6-23)

24、知黑守白

　　传统折枝花鸟画特别重视留白，简约构图空白较大，繁密的构图空白较小。画牡丹花头如同画人脸面，一定要在其朝向前面留出适当空白，主要花朵朝向哪个方向，哪个方向就要多留空白，使之面向开阔，舒展自如。除了大的空白以外，还有被所画物象分割而成的许多小空白，它们的面积不应相等，外形不应雷同。对空白的认识应同前面讲的疏密关系联系起来，认真加以理解。（图6-24）

（图6-24）

25、色墨谐调

　　以少量对比色彩融入大面积的黑白灰对比之中就会产生比较高雅的格调。花朵主要是由白色加灰绿色完成的，构成画面主体部分，石青色子房，亮黄色花蕊形成精采的画眼。用比较浓重的水墨画叶子，增加画面的重量感。再用灰淡水墨补画石块，完成了对花朵的陪衬。在黑白灰对比中，局部的少量色彩起到了十分重要的平衡作用。（图6-25）

（图6-25）

26、各得其所

　　海派大师任伯年的花鸟画构图十分精妙，他在画花卉时，往往非常理性地将花、枝、叶等基本素材重新集中组合，在突出花朵的同时其他部分也能充分得到应有的展示，使得画面主次有序，丰富和谐，有超脱自然之妙。在这幅作品里，花朵、叶子、枝干各得其所，体现了任伯年的构图理法。（图6-26）

（图6-26）

27、均衡稳定

传统花鸟画最基本的构图形式有三种，即上插、下垂和横倚。无论哪种构图都要追求一种大的动势，就是所谓的"造险"，既生险绝，还要复归平正，也就是均衡，它使动荡归于稳定。图中右下方的石块承接了牡丹下垂的重量感，画面取得了均衡。(图6-27)

(图6-27)

28、虚实相生

　　传统花鸟画十分讲究虚实关系，实就是实在部分，在画面中占有＿亡要位置或重点彩墨部分；虚既包括所有的空白，也包括起陪衬作用的笔墨和色彩。主体要实，要求画得较为细致精到，本身层次变化丰富而突出；宾体要虚，画得较为简略，层次平淡。这幅作品不但枝叶有虚实变化，花朵也有虚实变化，给人以丰富的视觉感受。（图6－28）

（图6－28）

29、藏露结合

花鸟画比较讲究藏露关系。露就是暴露，它突出而抢眼，图中白牡丹花形完整，枝、干、叶均结构明确即是"露"；藏就是隐藏，它被部分摭挡而形态含蓄，图中粉红色牡丹花，枝叶在第二层次，属于"藏"。藏露结合是花鸟画构图的要素之一。（图6-29）

（图6-29）

30、勾花点染

　　这幅作品的牡丹花头是用草勾法完成的，在用笔灵活松动的同时要注意整体感的把握，不能散漫破碎。补染花瓣的色彩是草绿调朱红色，主要施用在花心周围的正瓣根部，这又进一步加强了整体感和立体感。另外染花的暖绿色又与绿中带墨的叶子相协调，格调比较高雅。（图6-30）

（图6-30）

31、人格花鸟

　　写意花鸟画作为一种艺术，它所描绘的花鸟是人文精神和体现，这反应在构图中的一花一草一鸟一石都具有生命意义，是画家情感的载体。此图下部两只小猫依偎在一起，如两小无猜、情深意切的朋友，而下垂的壮丹花面向小猫好象是给它们以祝福，整幅画面突出一个情字。（图6-31）

（图6-31）

32、巧妙衬托

　　写意花鸟画非常重视黑、白、灰关系，并着意它们的互相衬托。此图花朵主要是用白色加浅绿色完成的，它是画面最精彩的部分，要表现得丰富细致，在亮调中追求变化。为了拉大对比关系，叶片用墨较浓，使之衬托花头，但不能死板地包围花头，于是在花头后面用淡墨加画了一主一辅两片芭蕉叶，从而达到了比较理想的对比效果。值得一提的是芭蕉叶用墨淡而平是成功的关键，假如用墨变化丰富，甚至再勾叶脉，那么就必然呈现杂乱局面，就不会产生这种平和而宁静的美感。（图6-32）

（图6-32）

小写意重彩牡丹技法

图一　粉红正面牡丹画法：先将毛笔用清水浸透，然后调白粉，注意粉要适度，不能太多也不能太少；白粉调后调曙红，大胆，快捷落笔，画出基本形态；笔尖调胭脂画出花瓣的结构；少量调墨细刻画局部。调石青，胭脂，墨点雌蕊，最后调粉，藤黄点雄蕊。

图二　粉红盛开朝上花头画法：调色程度与图一基本一样，只是用笔方向不同；点、托、平铺、横扫等用笔变化多一点。注意无论是第一次造型还是第二次，都要准确落笔一次成形，不能来回涂抹。

图三　黄色朝下花头画法：笔清水浸湿，调白粉，调藤黄，调朱磦，调赭石，大胆落笔造型，逐步刻画花瓣结构，要控制好笔上水分的多少，少则干枯没有韵味，多则不易定型。笔上水分多少为宜与室内温度、湿度、纸的薄厚、落笔速度等因素有关系，需要在绘画实践中慢慢体会。

图四　大红盛开朝上花头画法：笔用清水浸湿，调大红，调曙红，调胭脂，调墨快速落笔造基本形态，然后逐步刻画细部结构。注意用笔变化要多，不能程序化，否则画出来就会一个模样，不生动。

图五　黑紫色朝上花头画法：笔用清水浸湿，调曙红，调胭脂，调花青，调墨逐步落笔造型。第一次调色画到何时再进行第二次调色，根据花瓣的深浅和笔上水分的多少而定。从何处起笔画最好不要固定，根据实际情况，中间、四周何处起笔都可以，变化多样，避免程序化。

图六　大红初开朝上花头画法：调色与图四是一样的，笔上的色阶要更丰富一些，用笔要简练。不换笔继续调藤黄，调花青调墨画花萼。

　　图七　黄色花蕾画法：笔用清水浸湿，调粉，调藤黄，调朱磦，调赭石，调胭脂点花蕾。换笔将藤黄花青调成绿色，然后再调胭脂，调墨点花萼。

　　图八　圆桃期和平桃期花蕾的画法：先将藤黄花青调成绿色，笔用清水洗净，调少许粉，调石绿，调绿色，调墨，画出蕾的形态，再画小萼片。

　　图九　绿叶子的画法：将藤黄、花青调成绿色，用大一点的长锋笔蘸调好的绿色，调墨然后大胆快速画出叶子的基本形态，待半干后，重调绿色和墨刻画叶子的正面，用不同深浅的色块表现叶子的结构，不勾叶筋。

　　图十　略带红色的叶子画法：调色和画法同图九基本一样。不同处只是先调朱砂，调胭脂然后再调绿色，调墨。叶子颜色越丰富越好，不宜用单色。虚叶子也不能用单色。

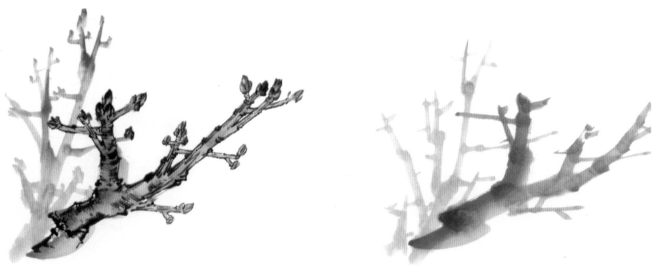

图十一　枝干的画法：调赭石，调少许绿色，调墨画出有前后、粗细、穿插变化的枝干，然后点花芽，干后用墨勾皴一下。远处虚的枝干也可以不皴勾，也可以少量勾皴但要用淡墨勾皴。

牡丹各类型特点解析

皇冠型

品名软枝蓝，花蓝粉色，外瓣大平展，内小层叠，花蕊退化成绿彩瓣，花梗软，花下垂，晚花品种，大型，长叶深绿色，株型高平展，菏泽赵楼育。

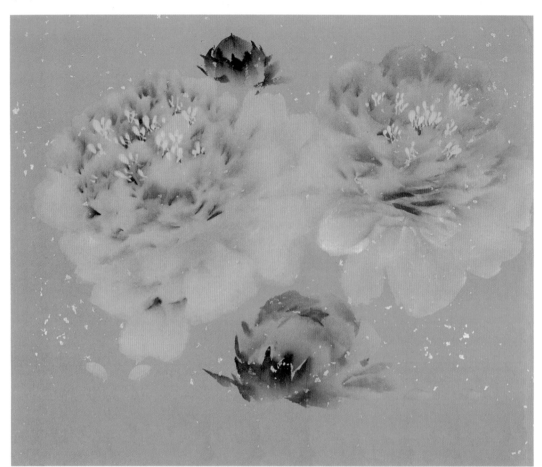

皇冠型

　　花型变化较
大，荷花、金环、托
桂时有出现，但以
皇冠型为主，瓣间
常杂有退化雄蕊雌
蕊，株型中高，开
展。

皇冠型

　　品名蓝翠楼，
花粉红带蓝，雄雌
蕊瓣化，晚花品
种，大型圆叶深绿
色，株型高，开展，
菏泽赵楼育。

皇冠型

　　外瓣宽大平展，内瓣小变化多，雄雌蕊全部瓣化退化，花朵高耸形似皇冠，花黄色，花晚期色淡，有时呈金环型，外瓣大，内瓣褶叠紧密，传统名贵品种，株型高，直立，枝细硬。

菊花型

　　品名京韵花，浅紫红色，花瓣宽大倒卵形，房衣紫红，叶黄绿色，北京景山公园育。

教你怎样画国画

菊花型

其花型主要特
点是比荷花型花瓣
明显增多，一般在
六层以上，内层小，
外层大，雄雌蕊正
常，但偶有瓣化现
象。

蔷薇型

品名少女裙，花粉红色微带
紫色，内瓣褶皱，雄蕊少量瓣化，
雌蕊亦缩小，花朵多侧开，株型
高，直立，中型长叶。

蔷薇型

　　品名二乔，花复色，同株同枝可开两种颜色花，一朵花中紫粉两种花瓣，雄蕊部分瓣化，同一株叶有黄绿和绿两种颜色，株型高，直立。

荷花型

　　品名朱砂垒，花浅红色微带紫色，花瓣宽大叶质较厚圆，下垂，株型中高半开展，雄蕊偶有瓣化。

荷花型

　　品名红莲满塘，花浅红色，有光泽，质地硬，形态偶有皇冠型，株型高，直立，洛阳育。

千层台阁型

　　特点是两朵以上千层类单花重叠而成，似有两组花心，花紫红，上方花瓣多，下方大而平展，雄蕊减少，雌蕊退化成绿彩瓣，菏泽育。

托桂型

　　外瓣宽大平
展，内小瓣，雄蕊完
全瓣化，雌蕊退化
变小，少量正常，像
彩盘托着碎花，偶
有皇冠型，花朵直
上，洛阳育。

楼子台阁型

　　单花重叠而成，有几个花
心，花大红色细腻润泽，雄雌
蕊均瓣化，花多侧开，叶中圆
形，质厚，稠密，株型矮。

绣球型

　　雄雌蕊完全瓣化,与正常花瓣很难区分,花朵丰满形如绣球,初开黄绿,盛开粉红,将谢变白,中型长叶,株型高,半开展。

金环型

　　外瓣宽大中瓣小,内外瓣相接处残留一圈金环状花瓣,雄雌蕊基本退化,花粉白色,房衣粉红,菏泽赵楼育。

《金底紫牡丹》画法步骤

步骤一 因紫牡丹色重用中墨勾花，重墨勾叶。线要挺拔有力，粗细有变化。用藤黄加少量赭石做金底，淡染两遍。

步骤二 用纸盖住花和叶，用金喷底。然后再用花青给花及叶分染打底色，正瓣深反瓣浅，待干后再统染一遍，颜色要薄。

步骤三　用牡丹红三遍九染花头（意思是多染几遍），最好染出紫绒的质感。叶、梗、柱头、花茎、花萼罩染草绿，反叶黄一些。

步骤四 花瓣深处用胭脂分染，染出层次。叶罩染三绿三青，颜色要薄，要染出深浅变化。柱头、花茎、花萼用四绿染。

步骤五 用金勒花瓣，胭脂加花青勒叶筋，用胭脂染部分叶尖，草绿勒柱头、花茎、花萼及反叶，白粉勾花丝，藤黄加白粉点花蕊，最后签名盖章。

《白牡丹》画法步骤

步骤一 因花为白色，以淡墨勾花，用笔要轻柔；重墨勾叶，用笔要流畅有力，然后用淡墨勾出老干轮廓。

步骤二 用三青和少量三绿接染打底色，托出白花，以很淡的墨染花瓣根部。用芽绿从里向外分染花瓣。芽绿（藤黄加赭石加少量花青）画白花，绿色要淡，切忌画成绿花。叶子用墨分染，留出白线。老干用赭石加墨画出（水分要大些），趁湿撞三绿。蝴蝶用藤黄加白粉染出。

　　步骤三　花瓣从外向里用白粉分染，叶子用墨统染，反叶淡些。子房、柱头、花茎、花萼、叶柄及反叶用草绿分染，老干结构用墨点染。然后用赭石勒蝴蝶翅脉，用朱磦点翅膀红斑，用赭石加胭脂染腹部。

步骤四 用芽绿罩染花瓣，要淡些；用曙红染花心，用四绿染子房、柱头、花茎、花萼、叶柄及反叶，用墨加胭脂画出蝴蝶头及翅膀墨斑。

步骤五 用白粉和胭脂分别勾出花丝，用草绿勒子房、柱头、花茎、花萼、叶柄、反叶。用赭石和胭脂染部分叶尖。然后用干墨擦染蝴蝶翅膀，用墨勾脚，用四绿点蝴蝶眼睛，用藤黄加白粉点花蕊。用焦墨罩三绿点苔点。最后签名盖章。

《冰清玉洁》画法步骤

步骤一 勾正稿。用淡赭石墨勾花，重墨勾叶，淡墨勾嫩叶、芽、花梗，用中墨勾老干。

步骤二　用胭脂分染嫩叶、花萼、花梗、嫩芽。用淡白粉平涂花头。

　　步骤三　用墨分染叶子的层次（反叶宜淡），留出水线。用淡草绿色（花青加藤黄加少量朱磦）分染出花头
的层次。

步骤四　用淡花青水统染正反叶、嫩叶、芽、花梗、花萼，要反复几遍，待效果满意为止。用白粉由花瓣顶部向里分染，白粉不宜平均使用，前面花瓣可反复染数遍，暗部花瓣稍提白粉即可。用浓淡不同的墨色勾皴老干。用淡墨统染后再用淡花青统染。整幅调整，题款钤印。

《醉艳》画法步骤

步骤一　勾正稿。用淡赭石色（亦可用淡墨）勾花，重墨勾叶，淡墨勾嫩叶、花梗，用中墨勾老干。

教你怎样画国画

步骤二　用淡墨分染出叶子的层次，留出水线。用淡白粉平涂花头。

步骤三 叶子淡墨分染的基础上用中墨再染一遍，留出水线。用朱砂分染花头，反瓣只需淡染一遍即可。

　　步骤四　用淡墨统染叶子、叶柄。用曙红在染过朱砂的花瓣上自根部向顶部分染，用色不宜过浓，一般分染1-2遍即可，反瓣只需用淡曙红分染一遍即可。用胭脂分染嫩叶，花醒和叶柄的凹处。调整画面，题款钤印。

《紫霞》画法步骤

步骤一 勾正稿。用淡赭石色（亦可用淡墨）勾花，重墨勾叶，淡墨勾嫩叶、花梗，用中墨勾老干。

　　步骤二　用花青染出叶子的层次，留出水线。用胭脂分染嫩叶、花萼、梗、嫩芽。首先用淡墨分染花的正反瓣一次，再用中墨分染正瓣一次。

步骤三 用三绿平涂正叶、嫩叶、花萼、梗、嫩芽，三绿要浓淡适中，待干后统染一遍矾水。用花青晕染花的正反瓣，反瓣宜淡些。

步骤四 用草绿色分染叶子（反叶宜淡些），正叶分染效果满意后，再用墨青分染一下层次，反叶用四绿反方向分染，而后染过草绿处用胭脂再提一下。用淡胭脂由花瓣根部向顶部分染 1 — 2 遍，反瓣宜淡些，而后用淡曙红分染数遍，以花瓣呈现红中透紫、紫中透红为佳。用淡墨勾皴老干，用淡墨统染。整幅调整，题款钤印。

《幽庭丹粉》画法步骤

步骤一 勾正稿。用淡赭石色（亦可用淡墨）勾花，重墨勾叶，淡墨勾嫩叶、花梗，用中墨勾老干。

教你怎样画国画

步骤二　用花青分染出叶子的层次，用胭脂分染嫩叶，留出水线。用淡白粉平涂花头。

　　步骤三　叶子在分染花表的基础上用三绿平涂一遍，三绿要浓淡适中，待干后统染一遍矾水。用淡胭脂分染出花头的层次。

富貴
白頭
乙酉維夏
祁禎寫

步骤四 用草绿色（花青加藤黄加少量朱磦）分染叶子，待效果满意后，用墨青（墨加花青）按步骤二的方式再分染出叶子的层次。反叶用草绿分染后再用四绿（三绿加白粉加少量藤黄）反方向分染，而后在染过草绿的地方用胭脂再提一下。用白粉由花瓣顶部向里分染，白粉不宜平均使用，正面的花瓣可反得染数遍，暗部花瓣稍提白粉即可。染出的花能给人以生动、自然的感觉。用浓淡不同的墨色勾皴老干，用淡墨统染。整幅调整，题款钤印。

红 娇

雅 香

双 娇

更喜東風起送香到人間
時在乙亥維夏祁禎鳳於京華

影动微香

低昂

姹紫嫣红

花香蝶自来

垂 香

曹州春色
丙子岁春祁槙写於京华

富贵白头

雅 艳

牡丹篇

唯有牡丹真国色

曹州春色

曹州牡丹名驰中外上溯明清早负盛言至今种植面积
己逾四十馀亩其色品种增至四百多種其中新品種占三
分之二以上其面积大品種全栽培技术高以曹州為最曹
州牡丹更以主长供貨为多花期最旦花大色美花輔重叠
突韵典雅而名标於立此将数本末在曹州牡丹園熙生稿
略加整理代此幅车己车春月祁礼貲於京華並起

窈窕有温香

110

舞 醉

争艳

福占人古弟一魁

富贵图

富贵姿

香 韵

天下第一香

争春竞艳

国色春融

吉祥长寿

富贵到白头

晓露初开

春意盎然

丽春情意浓

红霞祥和

国色祯祥

天香清艳

国色天香

晨露凝香

锦绣永昌

国色芳姿

月色飘香

美意延年

和平之春

富贵长寿

满园春色

独冠群芳

春娇情语

国色春晖

芳 韵

清露芳香

国艳天姿

春 融

圣洁天香

国色芳馨

天香清露

欣欣向荣

富贵白头图

月色天香

美意良宵

醉露天香

满园春

秋水素妆

绿云凝香

香凝富贵满园春

风华正茂

富贵吉祥图